LEARNING BEGINNER'S

Cursive

LETTERS a

CONNECTIONS do do

WORDS hello

HANDWRITING WORKBOOK

JUNE & LUCY kids

Email us at FREEBIES @JUNELUCY.COM
to get a FREE printable download!

FOR A LITTLE INSPIRATION
follow along at:

⊙ @JUNEANDLUCY

🅕 @JUNEANDLUCY

WWW. JUNELUCY.COM

Shop our other books at
www.junelucy.com

Wholesale distribution through Ingram Content Group
www.ingramcontent.com/publishers/distribution/wholesale

For questions and customer service, email us at
support@junelucy.com

practice makes perfect
FREE DOWNLOAD!

Now let's try LOWERCASE
Let's PRACTICE!
Practicing writing WORDS

WWW.JUNELUCY.COM/LLC1

 @JUNEANDLUCY

 @JUNEANDLUCY

JUNE & LUCY kids

a a

a a a a a a

Now let's try LOWERCASE

a

a a a a a a

B b

Now let's try LOWERCASE

b

b b b b b b

Now let's try LOWERCASE

c

c c c c c c

Now let's try LOWERCASE

Now let's try LOWERCASE

Now let's try LOWERCASE

Now let's try LOWERCASE

g

g g g g g g

Now let's try LOWERCASE

d i

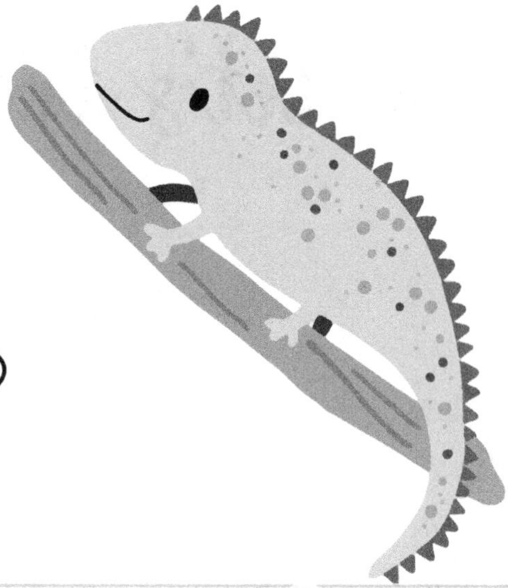

Now let's try LOWERCASE

i

i *i* *i* *i* *i* *i*

Now let's try LOWERCASE

j

j j j j j j

Now let's try LOWERCASE

Now let's try LOWERCASE

l

l l l l l l

M m

m

m m m m m

Now let's try LOWERCASE

m

m m m m m m

n

Now let's try LOWERCASE

n

n n n n n n n

O o

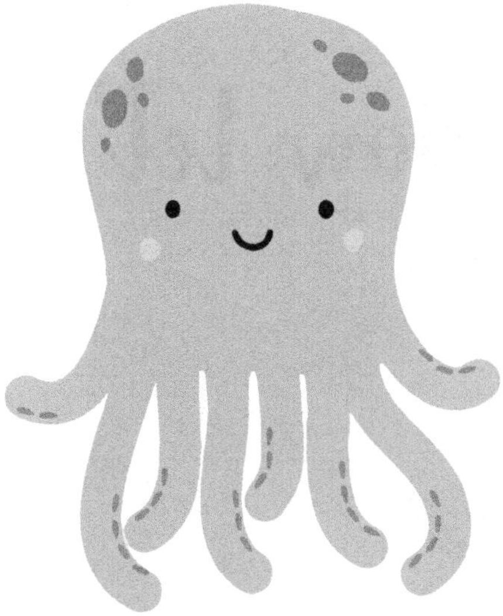

Now let's try LOWERCASE

p

Now let's try LOWERCASE

p

Now let's try LOWERCASE

q

q q q q q q

R r

R

R R R R R R

R R R R R R

R

Now let's try LOWERCASE

r

r r r r r r

Now let's try LOWERCASE

Now let's try LOWERCASE

U u

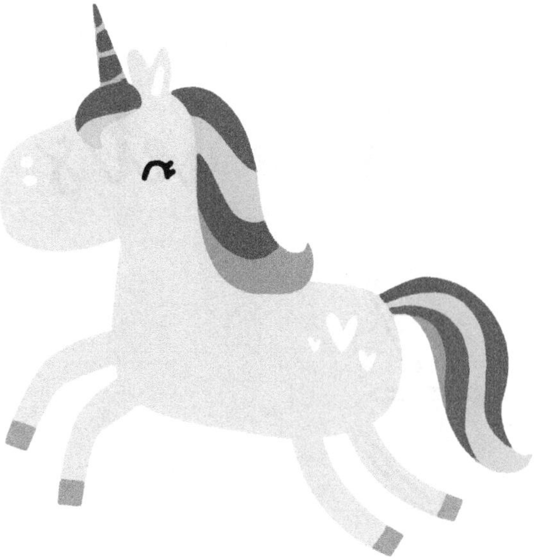

U

U U U U U

Now let's try LOWERCASE

u

u u u u u u

V v

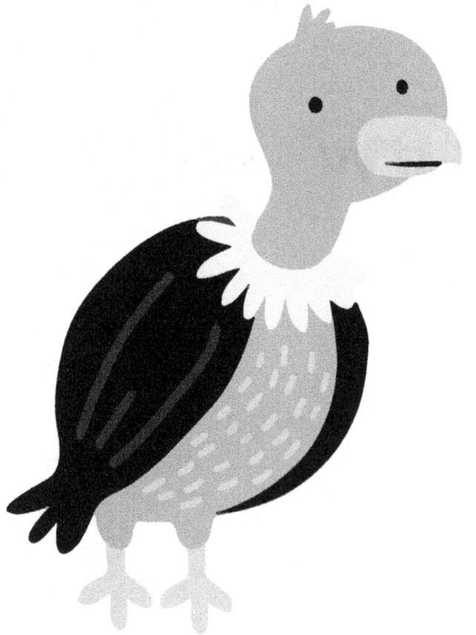

Now let's try LOWERCASE

W w

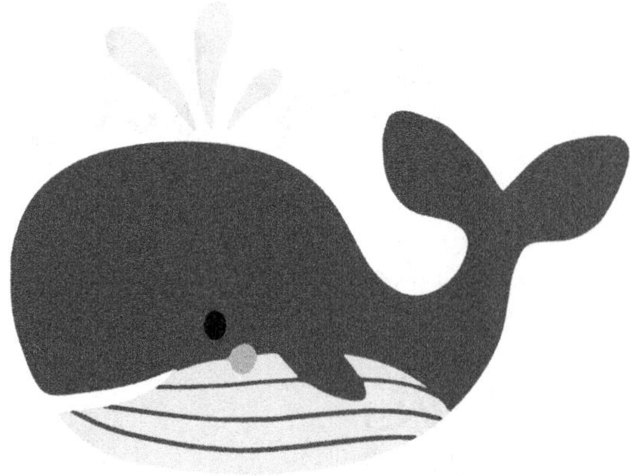

w

w w w w w

Now let's try LOWERCASE

w

Now let's try LOWERCASE

x

x x x x x x

$\mathcal{Y}$ $\mathcal{Y}$

$\mathcal{Y}$

$\mathcal{Y}$ $\mathcal{Y}$ $\mathcal{Y}$ $\mathcal{Y}$ $\mathcal{Y}$

Now let's try LOWERCASE

y *y* *y* *y* *y* *y*

Y *Y* *Y* *Y* *Y* *Y*

Now let's try LOWERCASE

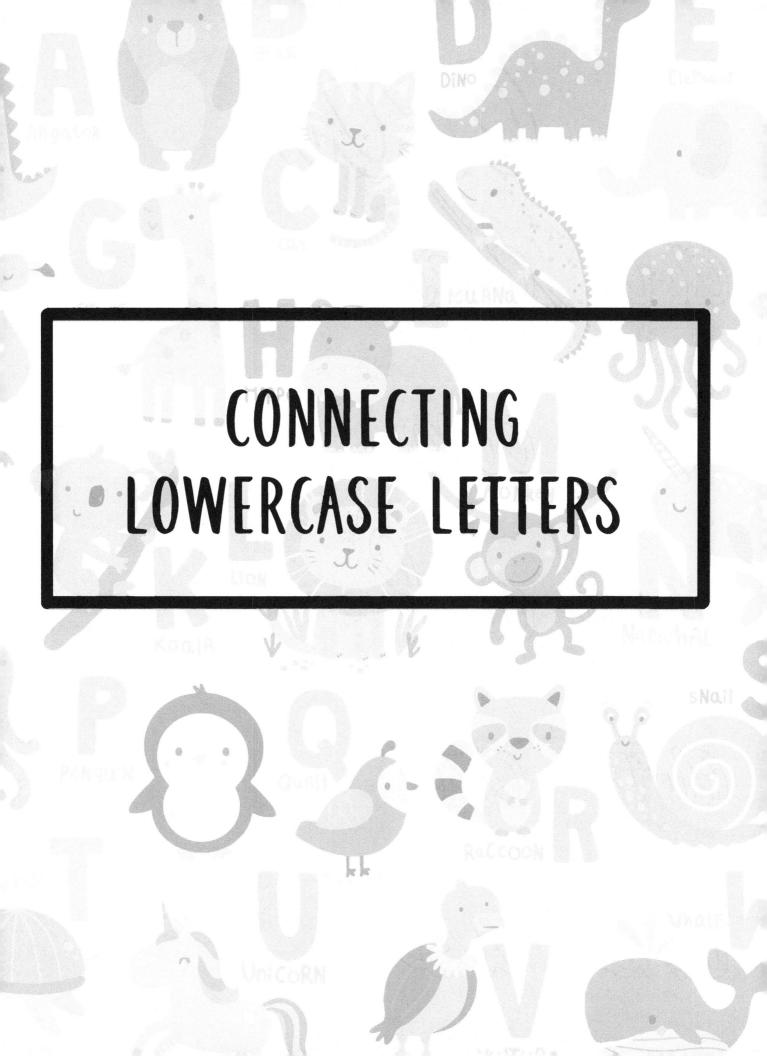

CONNECTING
LOWERCASE LETTERS

aa

aa aa aa aa

an an an an

ad ad ad ad

at at at at

as as as as

bb

ba   ba   ba   ba

be   be   be   be

bi   bi   bi   bi

bo   bo   bo   bo

br   br   br   br

ca   ca   ca   ca

ce   ce   ce   ce

ci   ci   ci   ci

co   co   co   co

cr   cr   cr   cr

dd

da da da da

de de de de

di di di di

do do do do

dr dr dr dr

ee

ee ee ee ee

ea ea ea ea

en en en en

et et et et

es es es es

ff

fa fa fa fa

fe fe fe fe

fi fi fi fi

fo fo fo fo

fr fr fr fr

gg

ga   ga   *ga*   *ga*

ge   ge   *ge*   *ge*

gi   gi   *gi*   *gi*

go   go   *go*   *go*

gr   gr   *gr*   *gr*

hh

ha ha ha ha

he he he he

hi hi hi hi

ho ho ho ho

hu hu hu hu

ii

ir   ir   ir   ir

ia   ia   ia   ia

in   in   in   in

it   it   it   it

is   is   is   is

Jj

ja ja *ja*

je je *je*

ji ju *ji*

jo jo *jo*

ju ju *ju*

kk

ka   ka   ka

ke   ke   ke

ki   ki   ki

ko   ko   ko

kr   kr   kr

ll

ba la la la ba

be le le le be

bi li li li bi

bo lo lo lo bo

bu lu lu lu bu

mm

ma ma   ma mu

me me   me mu

mi mi   mi mu

mo mo   mo mu

mu mu mu   mu mu

nn

na na na   na

ne ne ne   ne

ni ni ni   ni

no no no   no

nu nu nu   nu

Oo

or   or   *or*

oa   oa   *oa*

on   on   *on*

ot   ot   *ot*

os   os   *os*

Pp

pl pl pl pl

pa pa pa pa

pe pe pe pe

pi pi pi pi

po po po po

qq

qa qa *qa* qa

qe qe *qe* qe

qi qi *qi* qi

qo qo *qo* qo

qu qu *qu* qu

rr

ra ra *ra* ra

re re *re* re

ri ri *ri* ri

ro ro *ro* ro

ru ru *ru* ru

Aa Aa *sa*

Ae Ae *se*

Ai Ai *si*

Ao Ao *so*

Au Au *su*

tt

ta ta ta

te te te

ti ti ti

to to to

tu tu tu

Uu

ur ur ur

ua ua ua

un un un

ut ut ut

us us us

$\mathcal{V}$ $\mathcal{V}$ $\mathcal{V}$

$\mathcal{va}$ $\mathcal{va}$ $\mathcal{va}$ $\mathcal{va}$

$\mathcal{ve}$ $\mathcal{ve}$ $\mathcal{ve}$ $\mathcal{ve}$

$\mathcal{vi}$ $\mathcal{vi}$ $\mathcal{vi}$ $\mathcal{vi}$

$\mathcal{vo}$ $\mathcal{vo}$ $\mathcal{vo}$ $\mathcal{vo}$

$\mathcal{vu}$ $\mathcal{vu}$ $\mathcal{vu}$ $\mathcal{vu}$

ww

wa wa wa wa

we we we we

wi wi wi wi

wo wo wo wo

wu wu wu wu

Xx

xa xa xa

xe xe xe

xi xi xi

xo xo xo

xu xu xu

yy

ya ya ya ya

ye ye ye ye

yi yi yi yi

yo yo yo yo

yu yu yu yu

Zz

za za za za

že že že že

ži ži ži ži

zo zo zo zo

zu zu zu zu

CONNECTING
UPPERCASE LETTERS

Let's practice with
UPPERCASE LETTERS

Let's practice with
UPPERCASE LETTERS

Let's practice with
UPPERCASE LETTERS

Let's practice with
UPPERCASE LETTERS

$\mathcal{U}$

$\mathcal{V}$

$\mathcal{W}$

$\mathcal{X}$

$\mathcal{Y}$

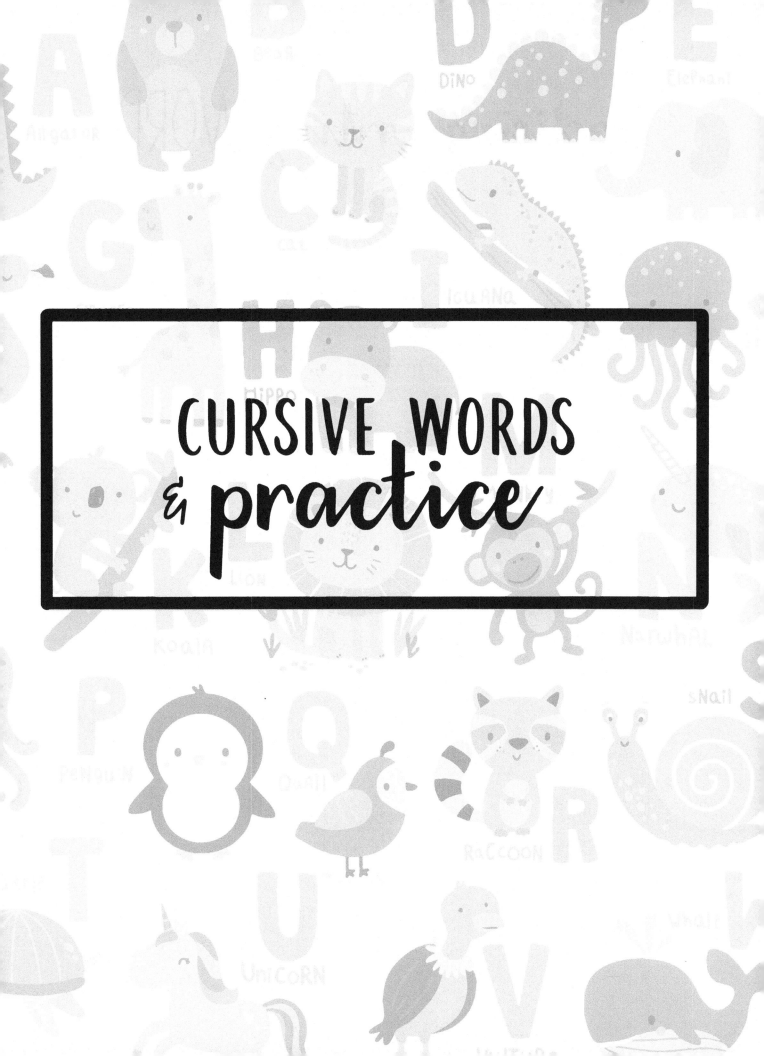

CURSIVE WORDS & practice

Practicing writing WORDS

are are are

bead bead

play play

mail mail

stop stop

Practicing writing WORDS

hello hello

big big

wind wind

glove glove

monkey monkey

Practicing writing WORDS

Now let's try your NAME!

Let's PRACTICE!

Let's PRACTICE!

Let's PRACTICE!

Let's PRACTICE!

Let's PRACTICE!

Let's PRACTICE!

Let's PRACTICE!

Let's PRACTICE!

Let's PRACTICE!

Let's PRACTICE!

Let's PRACTICE!

Made in United States
North Haven, CT
04 December 2022

27773733R00063